Meet big **Y** and little **y**.

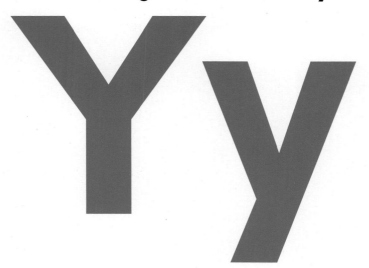

Trace each letter with your finger and say its name.

Y is for

yak

Y is also for

yam

yogurt

yellow

yo-yo

Yy Story

Meet a **y**oung **y**ak who would not eat her lunch.

4

She thought **y**ams looked **y**ucky.

She thought **y**ogurt looked **y**ucky.

"If **y**ou try the **y**ams and **y**ogurt, **y**ou can play with **y**our **y**ellow **y**o–**y**o," said her dad.

6

Did the **y**oung **y**ak try them?
Yes! Then, she **y**elled,
"**Y**ummy in my tummy!"

The **y**ak ate her whole lunch!
Then, she played with her **y**o-**y**o.
Yippee!

8